Für Imke

Quint Buchholz

Schlaf gut, kleiner Bär

Ein Buch zum Einschlafen und Aufwachen

Verlag Sauerländer

Aarau · Frankfurt am Main · Salzburg

Am Abend hat der kleine Bär seine Apfelhose ausgezogen
und seine Sternenhose angezogen.
Er hat eine lange Gutenachtgeschichte gehört.
Er hat sein kleines Gebet gesprochen.
Er hat das Schlaflied mitgesummt.
Und er hat seine fünf Küßchen bekommen.

Danach brauchte er aber noch einen Schluck Wasser
aus der blauen Tasse, weil er wie jeden Abend
auf einmal solchen Durst hatte.
Dann mußte er noch seine roten Schlafsocken anziehen;
das hatte er nämlich vergessen.
Dann wollte er noch warme Luft unter die Bettdecke
gehaucht bekommen, weil es sich dort so kalt anfühlte.

Und dann, dann durfte das Licht in seinem Zimmer ausgemacht werden.

Ganz still ist es jetzt.
Doch der kleine Bär ist immer noch nicht müde.

Und wenn kleine Bären nicht müde sind,
dann krabbeln sie nochmal leise aus ihrem Bett,
bauen sich eine Treppe, auf der sie bis zum Fenster
hinaufklettern können und schauen hinaus…

…wo der Mond wie eine große, runde Nachtlaterne
am Himmel steht und mit seinem sanften Licht
auf die Wiesen scheint, auf das Haus, auf die Bäume,
auf den Fluß und auf die ganze Welt.

Draußen ist es kühler geworden.
Die Enten nehmen noch ein Bad im Fluß.
Manchmal hört man in der Stille die Frösche quaken.

Am Bootssteg weht ein Unterhemd im Abendwind.
Das war das Segel vom Schiff,
als der kleine Bär am Nachmittag ein Seeräuber war.
Und die Schuhschachtel war die Schatztruhe.

Nebenan wohnt die alte Frau Rose.
Sie hat den ganzen Tag in ihrem Garten gearbeitet.
Sie hat gegraben und gehackt und gesät und gegossen.
Dabei erzählt sie den Blumen immer Geschichten.

Der kleine Bär besucht Frau Rose oft.
Er hört ihren Geschichten zu, und manchmal
hilft er ihr mit seiner gelben Schaufel beim Graben.

Der kleine Bär kann von seinem Fenster aus sehen,
daß die alte Frau Rose in ihrem Sessel eingeschlafen ist.
Sie war so müde.

Auf der Wiese am Waldrand steht der Vogelmann.
Die Kinder haben ihn im letzten Herbst
aus Holz und alten Sachen gebaut.
Seitdem kommen sie oft vorbei
und spielen auf seiner Wiese.
Sie stecken ihm jedesmal frische Blumen
oder Gräser an den Hut.

Der kleine Bär hat dem Vogelmann
sein Holzauto mit den roten Rädern geschenkt.

Am Abend kommen die Rehe auf die Vogelmannwiese.

Im Nachbardorf steht seit gestern ein Zirkuszelt.
Als der kleine Bär mit beim Einkaufen war,
hat er den Zirkusleuten eine Weile zugeschaut.
Er hat bunte Wagen gesehen, einen Mann auf langen Stelzen,
eine dicke Zuckerwatteverkäuferin, ein winzigkleines Pony
und einen großen braunen Bären.

Jetzt ist die Abendvorstellung vorbei.
Die Zuschauer sind nach Hause gegangen,
und die Artisten sind in ihre Wagen geklettert.

In der Abendstille spielt der Clown auf seiner Geige
ein Schlaflied für den kleinen Elefanten.

Manchmal fährt spätabends noch ein Lastkahn
den Fluß hinunter.
Vielleicht fährt er bis zum nächsten Hafen.
Vielleicht sogar bis zum großen Meer.

Der kleine Bär sieht die Lichter
und hört ganz leise das Tuckern der Motoren.

Ein Luftballon mit einem Brief schwebt über der Wiese.
Er hat eine lange, lange Reise gemacht.
Und bald wird er landen.

Was wohl in dem Brief steht?
Vielleicht findet ihn ja der kleine Bär.
Vielleicht schon morgen früh, wenn er ausgeschlafen hat.

Der kleine Bär freut sich schon auf morgen.

Morgen wird der kleine Bär nämlich wieder
ein Seeräuber sein und mit seinem Seeräuberkapitän
über das wilde Meer fahren.
Sie werden ferne Länder entdecken
und eine geheimnisvolle Schatztruhe finden.

Vielleicht besucht ja morgen der kleine Esel
den kleinen Bären.
Sie wollen dann zur alten Frau Rose gehen
und ihr bei der Arbeit helfen.

Und später machen sie mit dem Leiterwagen
einen Ausflug auf die Vogelmannwiese.
Es ist schön warm in der Sonne,
und manchmal fährt der Wagen ganz, ganz schnell.

Vielleicht entdecken die beiden unterwegs etwas…

Und wenn morgen die Sonne gar nicht scheint?
Wenn es morgen vielleicht sogar regnet?

Dann saust der kleine Bär schnell hinüber zur Scheune
und klettert auf den Dachboden.
Der ist nämlich seine Bärenhöhle.
Dort hat der kleine Bär viele Sachen gesammelt.
Auch eine Tonpfeife, auf der er Lieder spielen kann.

Wie gemütlich es ist, so im Trocknen zu sitzen.
Vor allem, wenn man auch noch etwas Gutes
zu essen dabei hat.

Draußen rauscht der Regen, und es riecht so frisch.

Ja, der kleine Bär freut sich auf morgen.

Aber noch ist es Nacht.
Der kleine Bär schließt die Augen.
Dann hört er eine Musik,
die irgendwo ganz leise klingt.
Der kleine Bär stellt sich vor,
daß das die Mondscheinmusikanten sind,
die nachts umherziehen und ihre Lieder spielen.
Für den Mond, für die Kinder
und für kleine Bären.

Der Mond ist die ganze Nacht am Himmel
und scheint auf die Wiesen, auf das Haus, auf die Bäume,
auf den Fluß und auf die ganze Welt.

Und er scheint auch in die Fenster hinein.

Manchmal gibt der kleine Bär
dem Mond noch einen Gutenachtkuß...

...und dann schläft er ein.

Mein Dank gilt
Ulrike, Sebastian und Nina Buchholz,
Gisela Hofmann, Rolf Inhauser,
Karin Rebke, Hanno Rink und Dirk Stempel

Q. B.

Quint Buchholz
Schlaf gut, kleiner Bär
Ein Buch zum Einschlafen und Aufwachen
4. Auflage 1994
Copyright © 1993 Text, Illustrationen und Ausstattung
by Verlag Sauerländer, Aarau, Frankfurt am Main und Salzburg
Printed in Germany
ISBN 3-7941-3666-7
Bestellnummer 01 03666

Die Deutsche Bibliothek – CIP-Einheitsaufnahme
Buchholz, Quint:
Schlaf gut, kleiner Bär : ein Buch zum Einschlafen und
Aufwachen / Quint Buchholz. – 4. Aufl. –
Aarau ; Frankfurt am Main ; Salzburg : Sauerländer, 1994
ISBN 3-7941-3666-7
NE: HST